D1366264

• Le plus vieux des dragonniers •

L'auteur : Marie-Hélène Delval est auteur
de nombreux romans et histoires pour la jeunesse,
publiés aux éditions Bayard Jeunesse, Flammarion…
Pour Bayard, elle est également traductrice
de l'anglais (Les séries L'Épouvanteur
et La cabane magique, *L'Aîné*…).
C'est une passionnée de «littérature de l'Imaginaire»
et – bien sûr – de fantasy !

L'illustrateur : Alban Marilleau a étudié
à l'École Supérieure de l'Image d'Angoulême.
Depuis, il illustre des albums, de la bande dessinée,
et travaille pour Bayard Presse.
Ses ouvrages sont notamment publiés
aux éditions Nathan et Larousse. Pour représenter
l'univers magique des Dragons de Nalsara,
il s'est inspiré des ambiances qu'il fréquentait
déjà enfant, dans les romans de Tolkien.

© 2008, Bayard Éditions Jeunesse
Dépôt légal : juin 2008
ISBN : 978-2-7470-2625-3
Loi n° 49-956 du 16 juillet 1949 sur les publications à destination de la jeunesse.

Imprimé en Allemagne par Clausen & Bosses

Marie-Hélène Delval

• Le plus vieux des dragonniers •

Illustrations d'Alban Marilleau

BAYARD JEUNESSE

Les dragons de Nalsara

Cette histoire se passe au royaume
d'Ombrune, sous le règne du roi Bertram.
À deux heures de bateau du port de Nalsara,
la capitale, s'élève l'île aux Dragons.
On l'appelle ainsi car, tous les neuf ans,
deux ou trois dragonnes sauvages
viennent y déposer leur œuf.
C'est là que vit Antos, le Grand Éleveur
de dragons, avec ses enfants, Cham et Nyne.

Cham

Antos

Nyne

Résumé de l'épisode précédent
Le troisième œuf

Deux dragonneaux sont nés, sur l'île aux Dragons. C'était la première fois que Cham et Nyne assistaient à une éclosion. Cham se passionne aussitôt pour l'élevage des petits. Son père s'en réjouit : il imagine déjà que son fils sera lui aussi, plus tard, éleveur de dragons. Or, le garçon rêve en secret de devenir dragonnier ! Il tente même une chevauchée sur le dos de son dragonneau préféré, à qui il a donné un nom : Nour.

Quant à Nyne, elle s'occupe d'une curieuse bestiole. Celle-ci est sortie d'un troisième œuf, que la petite fille avait trouvé sur la plage. C'est une créature marine, un élusim. Nyne, qui l'a appelé Vag, s'aperçoit qu'elle peut *parler* en pensée avec lui.

Mais, déjà, un bateau vient chercher les dragonneaux pour les emmener à la dragonnerie royale. Et Vag disparaît dans la mer, son domaine. Les enfants reverront-ils un jour leurs étranges amis ?

Tombée du ciel

Depuis trois jours, c'est la tempête. D'énormes vagues s'écrasent contre les falaises, et l'île tout entière résonne sous leurs coups furieux. Jamais les marées d'équinoxe n'ont été aussi violentes.

Antos et ses enfants ne sortent de la maison que pour s'occuper des bêtes. Nyne et Cham portent leur nourriture aux poules et aux cochons ; leur père se charge des brebis, réfugiées dans la bergerie. Il trait aussi deux des vaches qu'il a pu acheter grâce à son dernier salaire de Grand Éleveur et qu'un bateau lui a amenées récemment. La troisième aura bientôt un veau.

Le matin du quatrième jour, au petit déjeuner, Cham fait remarquer :

– On dirait que le vent hurle moins fort.

– Oui, dit Antos. Le temps devrait s'améliorer.

– Alors, intervient timidement Nyne, je pourrai descendre sur la plage ?

La petite fille en a assez de rester enfermée à longueur de journée. Mais, surtout, elle a très envie d'aller regarder la mer. Qui sait ? Si Vag venait lui rendre visite ? Il ne craint pas la tempête, lui ! Quand ils ont *parlé* en pensée, il a expliqué à Nyne que les élusims venaient en aide aux navires en détresse. Son petit Vag, qui est devenu si grand !

– On verra, répond Antos. Cet après-midi, peut-être…

Un choc sourd ébranle alors les murs de la maison, comme si une masse gigantesque venait de s'abattre à proximité. Aussitôt monte un hurlement rauque, un cri affreux, qui s'achève sur une note aiguë, prolongée, insupportable.

— Qu'est-ce que c'est? balbutie Nyne, toute pâle.

Un instant elle a imaginé Vag, projeté contre la falaise par une lame monstrueuse, et gisant, le dos brisé, sur le rivage.

Antos s'est levé d'un bond:

— Ça ne peut pourtant pas être une…

Il s'interrompt, l'air perplexe.

— Une quoi, papa? l'interroge Cham.

Son père secoue la tête sans répondre. Il va décrocher sa pèlerine, suspendue à une patère, et déclare:

— Je vais voir. Restez là, les enfants!

— Oh non!

— On sort avec toi!

Ils ont protesté en même temps et se dépêchent de s'emmitoufler.

— Bon, d'accord. À condition que vous vous teniez derrière mon dos.

Le frère et la sœur acquiescent en emboîtant le pas à leur père.

Tous trois sortent de la maison. Une rafale de vent les gifle en pleine face. Ils avancent, tête baissée sous leurs capuchons.

La cour est vide. Le pré, derrière la ferme, est vide aussi.

De nouveau, le hurlement retentit. C'est un appel si pitoyable, si chargé de détresse et de souffrance qu'il glace le sang.

– Ça vient de là ! s'écrie Cham.

Le garçon désigne le bord de la falaise. Derrière un bloc de rochers, à l'endroit où le sentier fait un coude, on devine une forme verdâtre, qui remue faiblement.

– Ne bougez pas ! ordonne Antos. Laissez-moi faire.

L'éleveur de dragons s'approche à pas prudents. Lorsqu'il arrive à proximité du rocher, une sorte de voile sombre se déploie, claque dans les airs et retombe sur le sol.

– Aaaah ! crient les enfants en reculant, apeurés.

Leur père continue d'avancer. La chose remue encore, elle émet un gémissement plaintif.

Antos est tout près d'elle, maintenant. Cham et Nyne le voient s'accroupir, tendre la main. Puis il se met à parler. De là où ils sont, avec le vent qui leur siffle aux oreilles, les enfants n'entendent pas ce qu'il dit.

– C'est une bête…, suppose Nyne. Une bête tombée du ciel.

– À moins que ce soit…, commence Cham.

Sa sœur l'interroge du regard. Comme il n'ajoute rien, elle insiste :

– Que ce soit quoi ?

À cet instant, leur père revient vers eux. Il paraît totalement déconcerté.

– Je n'y comprends rien, déclare-t-il. En cette saison…, je n'avais jamais vu ça !

– Alors, papa ? le presse Cham. Qu'est-ce que c'est ?

Antos écarte les bras et lâche :

– C'est un dragon ! Ou plutôt une dragonne…

Sauvetage

Convaincre l'énorme créature de venir s'abriter dans la grange n'est pas une mince affaire ! Visiblement, elle souffre. Antos veut d'abord se débrouiller seul ; les réactions d'un dragon blessé sont toujours imprévisibles. Il craint un jet de feu, une morsure, un coup de griffe ; il préfère tenir les enfants à l'écart. Mais la bête, prostrée, refuse obstinément de bouger. Antos hésite à utiliser une piquoire, cette espèce de longue lance munie de crochets avec laquelle on dirige les dragons récalcitrants. La méthode lui paraît cruelle.

C'est Cham qui apporte la solution. En
rougissant un peu, il propose :

— Papa, si tu te servais de ces rênes que
j'avais fabriquées pour… pour chevaucher
le dragonneau ? Tu te souviens ?

— Hmmm… Ce n'est pas une mauvaise
idée.

Le garçon court chercher les lanières de
cuir, qu'il a rangées dans sa chambre.

Son père essaie d'en harnacher la
dragonne. Elle redresse la tête en grondant ;
de ses naseaux sort une fumée noire. Si elle
ouvre la gueule, ce sont peut-être des
flammes qui jailliront ! Antos est obligé
de reculer. Il marmonne :

— Je ferais mieux d'aller enfiler ma combinaison de protection…

Cham dit alors :

— Tu veux bien me laisser essayer, papa ?

Sans attendre la réponse, il prend les rênes des mains de son père. Il marche vers la bête, le bras tendu.

— Cham ! Attention !

Cham se rapproche encore, pas à pas. Il laisse l'animal lui flairer longuement la paume. Puis il gratte son front dur.

Enfin, avec des gestes très lents, il lui passe la bride.

C'est ainsi que la dragonne est conduite jusqu'à la grange. Ses larges ailes membraneuses traînant à terre, elle a piteuse allure. Tout le long du chemin, le garçon ne cesse de lui parler, de l'encourager. Et Antos, une fois de plus, se fait la réflexion que son fils a décidément un don pour communiquer avec les dragons.

Jusque-là, Nyne s'est tenue à distance. Les dragonneaux l'effrayaient déjà, alors une créature de cette taille! Mais celle-ci… Celle-ci a l'air trop malheureuse! Touchée, la petite fille décide de lui apporter une écuelle de lait tiède. La dragonne le renifle, lape quelques gorgées. Puis elle se couche sur le flanc et ferme les yeux.

– Est-ce qu'elle va mourir, papa? s'inquiète Cham.

Lorsque ses doigts grattaient la tête écailleuse, il lui semblait capter des ondes de désespoir. N'était-ce qu'un effet de son imagination? La scène avait quelque chose de tellement irréel: ce ciel si bas, si gris; ce vent hargneux sifflant autour de lui ; cette mer grondant au pied de la falaise ; et lui, Cham, menant par la bride un dragon adulte !

Antos examine la dragonne. Il ne lui découvre aucune blessure ; elle souffre d'épuisement, voilà tout.

— Elle est triste, papa, dit Cham. Affreusement triste !

L'éleveur de dragons regarde son fils, songeur. Cham *sent* des choses que lui-même est incapable de percevoir…

— Triste, tu crois ?

— Oui. On dirait qu'elle… qu'elle pleure à l'intérieur. Tu vas la soigner, papa ?

Antos hoche la tête, pas très convaincu. Il a appris à élever des bébés dragons pleins de santé, pas à servir de médecin à une dragonne déprimée !

— Tu crois qu'elle est venue pondre sur l'île ? le questionne soudain Nyne.

— Non, ce n'est plus la saison, et ses flancs ne sont pas gonflés. Je me demande d'où elle vient…

Comme en réponse à son interrogation, la bête ouvre alors une aile. Cham pousse une exclamation :

— Là, regardez ! Elle porte une marque !

Antos saisit l'épaisse membrane et la soulève. Il découvre en dessous deux lettres d'or entrelacées :

— *Dragon Royal* ! souffle-t-il. Cette bête vient de la dragonnerie du roi Bertram ! Comment est-elle arrivée ici sans son dragonnier ? Elle n'était même pas sellée…

Interloqués, les enfants fixent leur père.

— Qu'est-ce qu'on va faire, alors ? interroge Cham.

— Envoyer un message au palais, évidemment !

L'éleveur de dragons se précipite vers la maison, les enfants sur ses talons. De retour dans la cuisine, il sort du tiroir du buffet une mince feuille de papier, une plume et un encrier. À grands traits pressés, il écrit :

Une dragonne échouée sur l'île.
Seule. Sans dragonnier.
Pas de blessure. Paraît seulement épuisée.
La soignons de notre mieux.
Attendons instructions.
Le Grand Éleveur.

Antos roule la missive avec soin. Il l'enferme dans un petit tube d'argent. Puis il court jusqu'à la tour où nichent les alcyons voyageurs.

Quelques instants plus tard, un grand oiseau blanc s'enfonce dans les nuages. Bravant les bourrasques, il va franchir la mer et voler droit jusqu'à la tour des Courriers, à l'angle du donjon royal.

Une tâche délicate

Toute la journée, Antos et Cham se relaient auprès de la dragonne. Elle reste couchée, son long cou étendu sur la paille de la grange. Elle refuse la nourriture. L'éleveur de dragons est soucieux. Il confie à son fils :

— Tu as raison ; on dirait qu'elle a perdu la volonté de vivre. Qu'a-t-il bien pu lui arriver ? J'ai hâte de recevoir une réponse du palais !

Vers le soir, alors que les derniers feux du soleil teintent l'horizon de violet et

d'orange,
Nyne va au bord de
la falaise pour regarder
la mer. La houle est moins
violente, le vent moins fort.
Soudain, une flèche blanche surgit d'entre
les nuages ; elle file vers la tour aux alcyons.
L'oiseau se pose au sommet de la tour,
referme ses ailes et pousse un long cri
d'appel.

La petite fille se précipite vers la maison :
– Papa ! Le messager est revenu !

Antos a récupéré le tube d'argent. Assis à
la table de la cuisine, il déroule le papier
qu'il contenait et le lisse du plat de la main.
Sous les armoiries de l'ordre des
Dragonniers, des lignes élégantes sont
tracées à l'encre rouge.
– Qu'est-ce qui est écrit ? demande
Cham, empli de curiosité.

Son père lit à voix haute :

Veillez à ce que Selka ne s'envole pas.
Navire royal atteindra l'île demain.
Prévoir terrain assez grand
pour y dresser pavillon.
Vous envoyons messire Damian et sa suite.
Messire Onys,
Maître Dragonnier.

Antos hausse les sourcils, perplexe. Cham marmonne :

— Tu y comprends quelque chose, toi ?

— Qu'est-ce que ça veut dire « dresser pavillon » ? questionne Nyne.

— Un pavillon, explique leur père, c'est une grande tente, qui abrite les chevaliers ou les dragonniers, avec leurs serviteurs, lors d'une campagne.

— Une campagne ?

— Oui, pendant une guerre, par exemple, ou le temps d'une partie de chasse.

Cham et Nyne échangent un regard étonné.

– Un seigneur veut chasser sur notre île ? dit le garçon.

Antos secoue la tête :

– Ça m'étonnerait ! Je pense plutôt que messire Damian est le dragonnier de cette Selka et qu'il vient la récupérer. Ce que je ne saisis pas, c'est pourquoi il veut s'installer ici avec sa suite... Enfin, nous verrons bien. La pâture, derrière la maison, devrait lui convenir. En attendant, essayons encore d'alimenter la bête.

L'éleveur de dragons se tourne vers son fils :

– Veux-tu t'en charger, Cham ? Elle semble avoir confiance en toi.

Le garçon acquiesce, les yeux brillants de fierté :

– Tu peux compter sur moi, papa !

Nyne se renfrogne. Ça y est ! Ça va recommencer comme à l'époque où les dragonneaux étaient là ! Son frère passera son temps auprès de la dragonne ; et qui s'occupera toute seule des poules et des cochons ? Elle, Nyne, évidemment !

Mais son père ajoute :

– Toi, fillette, je te réserve une tâche délicate. Je me souviens avec quelle patience tu préparais des bouillies à ton drôle d'animal.

– Vag ? Oh oui ! Il s'en régalait !

– Eh bien, essaie d'imaginer quelle mixture plaira à une dragonne malade. Les dragons se nourrissent de viande crue. Or, Selka n'en veut pas. Si elle reste à jeun, elle va dépérir rapidement. J'aimerais que son dragonnier ne la retrouve pas en trop mauvais état…

– Oui, papa !

Lorsque son frère la rejoint, elle a déjà aligné devant elle divers ingrédients : des œufs, du lait, du miel, du caillé de brebis.

Cham se moque :

– Tu veux lui cuisiner un gâteau ? Tu crois que c'est son anniversaire ?

Nyne lève les yeux au ciel :

– Ce que tu peux être idiot !

Sans se laisser démonter, elle prend une grande terrine, une cuillère de bois.

– Moi, quand je suis malade, j'aime manger des choses tièdes, molles et sucrées, explique-t-elle doctement. Alors…

Elle casse une douzaine d'œufs dans le récipient, ajoute la moitié d'un pot de miel et de grosses cuillerées de caillé. Elle touille, renifle. Les yeux fermés, elle murmure :

– Si j'étais une dragonne qui n'a plus d'appétit, est-ce que ça me ferait envie ?

Cham se prend au jeu. À son tour, il se penche, hume le mélange.

– Il faudrait le faire tiédir, tu ne crois pas ?

– Oui, mais sans le transformer en omelette !

– Oh…, c'est pourtant bon, une omelette bien baveuse !

Ils éclatent de rire. À cet instant, un cri rauque retentit. La dragonne !

– Elle a sûrement faim, déclare Cham. Vite, Nyne ! Portons-lui ça tout de suite !

– Attends ! Je rajoute du lait chaud.

Deux minutes plus tard, les enfants pénètrent dans la grange. Nyne, prudente, reste à l'entrée. Elle a confié la terrine à son frère et le regarde s'approcher de la bête. C'est drôle, la petite fille a le cœur qui palpite. Ça lui rappelle le jour où, pour la première fois, elle a présenté à Vag une bouillie d'algues au lieu d'une bouillie de blé. Quand elle l'a vu se jeter dessus et tout avaler avec des reniflements gourmands, elle s'est sentie si fière, si heureuse ! La dragonne va-t-elle accepter son brouet ?

Cham s'est agenouillé dans la paille. Il pose le récipient à terre. Gentiment, il gratte le crâne écailleux de la bête. Nyne l'entend parler sur un ton rassurant :

– Selka ? Regarde ce que je t'apporte ! Goûte, c'est bon. Ma sœur l'a préparé exprès pour toi. Allez, Selka ! Mange !

La dragonne tend un peu le cou pour fixer le garçon. Puis, d'un air épuisé, elle repose sa tête sur le sol et referme les yeux.

Cham insiste :

– Selka ! Sois gentille ! Tu dois reprendre

des forces. Messire Damian sera là demain, et…

À ce nom, l'énorme créature tressaille. De la fumée sort de ses naseaux. Nyne, effrayée, lance à mi-voix :

– Cham ! Attention !

Son frère n'a pas reculé. Au contraire, il se penche et continue, presque sévère :

– Messire Damian est ton dragonnier, n'est-ce pas ? Un dragon ne doit pas quitter son dragonnier ! Pourquoi es-tu partie, Selka ? Que t'est-il arrivé ? Allons, force-toi un peu ! Mange ! Tu verras, je suis sûr que tout va s'arranger.

La dragonne se redresse. Elle observe Cham entre ses paupières mi-closes, et c'est au tour du garçon de tressaillir, car il lui semble entendre des mots résonner dans sa tête : « Qu'en sais-tu, petit dragonnier… ? »

Mais ce n'est sûrement que le vent qui a fait grincer les chevrons du toit.

À cet instant, Nyne pousse une exclamation : la créature a avancé le museau. Elle renifle le mélange, qui refroidit dans le réci-

pient. Elle en absorbe la moitié en trois coups de langue. Après quoi, comme si cet effort l'avait épuisée, elle se laisse retomber sur la paille en soufflant par les narines un petit nuage de fumée.

– Cham ! fait Nyne. Elle a mangé !

Le garçon se relève et rejoint sa sœur. Il soupire :

– Elle n'a pas avalé grand-chose...

– Chut ! Écoute !

Cham se fige. La dragonne émet un grondement régulier, qui monte du fond de son ventre.

Nyne sourit :

– Elle va mieux, Cham. Elle s'est endormie et... elle ronfle !

Un vrai dragonnier

Le lendemain, la mer est encore grosse. Des rayons de soleil parviennent tout de même à percer la masse grise des nuages.

À peine levée, Nyne se dépêche de préparer une nouvelle bouillie sucrée pour la dragonne. Cham la lui porte. Cette fois, Selka n'y touche pas. Elle gît sur la paille, dolente. Ses écailles vertes ont pris une vilaine teinte grisâtre.

Antos, venu l'examiner, ne cache pas son inquiétude :

– Cette bête va mal. Espérons que son

dragonnier saura quoi faire pour la soigner…

Toute la matinée, Antos et les enfants vaquent à leurs occupations en surveillant l'horizon : ils attendent l'arrivée du navire qui leur amènera le mystérieux messire Damian.

Enfin, vers midi, un bateau apparaît. Au sommet du grand mât claque un étendard blanc et or, orné d'un dragon rouge.

– Le voilà ! s'écrie Cham.

À l'idée de rencontrer bientôt un vrai dragonnier, les battements de son cœur s'accélèrent.

Tous trois courent jusqu'au ponton.

Le bâtiment royal s'ancre dans la baie. Les matelots mettent plusieurs canots à l'eau. Des valets s'empressent d'y descendre de nombreux ballots, des coffres, des rouleaux de toile, de longues perches. Puis ils s'emparent des avirons et rament jusqu'au rivage. Un homme de belle prestance saute sur le ponton et s'adresse à Antos :

– Je suis Hadal, premier valet de messire Damian. Vous êtes le Grand Éleveur ? Où devons-nous porter le matériel et dresser le pavillon ?

– Dans le pré, là-haut, derrière la maison. Les enfants vont vous conduire. Et… messire Damian ?

D'un mouvement de menton, Hadal désigne le navire :

– On l'amènera dès que son logement sera prêt.

Déjà, les autres valets débarquent leur chargement et l'acheminent vers la ferme.

Nyne et Cham courent devant, excités et curieux. Ils n'ont jamais vu une telle animation sur leur île ! Ils en oublieraient presque la malheureuse dragonne, seule dans la grange.

Devant les enfants éberlués, les valets disposent sur l'herbe de longs poteaux de bois, étalent par-dessus une immense toile blanche. Ensuite, ils se placent tout autour et tirent ensemble sur des cordages :

– Ho hisse ! Ho hisse !

En un rien de temps, une tente imposante s'élève au beau milieu du pré. Bientôt, l'étendard des dragonniers flotte à son sommet. Les valets portent les coffres à l'intérieur du pavillon. Les enfants passent timidement la tête pour regarder. C'est incroyable ! On accroche des tentures de soie, des tapisseries brodées ; on déroule des tapis, on dresse des sièges et des tables pliantes, on accroche des miroirs, on dispose des chandeliers en or.

– C'est beau ! souffle Nyne.

– C'est comme un palais ! enchérit Cham.

À cet instant, une trompe sonne au loin. Le frère et la sœur se tournent vers la mer. Une large embarcation se balance contre le flanc du grand navire. À l'aide de poulies, les matelots y descendent avec mille précautions une sorte de lit à baldaquin, dont les rideaux sont fermés.

Les enfants se dépêchent de rejoindre leur père, resté sur le ponton. L'embarcation approche du rivage. Quand elle accoste enfin, des valets saisissent les bras du palanquin et le portent à terre.

Hadal leur ordonne :

– Montez jusqu'au pavillon ! Doucement !

Une voix rauque s'élève alors, derrière les épais rideaux :

– Un instant !

Une main noueuse écarte la tenture, et un grand vieillard maigre apparaît, étendu sur un matelas et appuyé sur de gros coussins. Son visage ridé paraît taillé dans un parchemin. Ses longs cheveux, sa barbe et ses sourcils broussailleux sont d'un blanc parfait. Des cernes profonds soulignent ses yeux gris, aux paupières rougies. Cham songe qu'il n'a jamais vu quelqu'un d'aussi vieux !

Antos s'incline avec respect :

— Messire Damian !

— Comment va Selka ? demande le vieil homme dans un souffle.

Après une brève hésitation, l'éleveur de dragons répond :

– Mal, Messire. J'espère que votre présence…

Messire Damian l'interrompt d'un geste las :

– Je suis son dragonnier, et je vais mourir. Selka…

Le vieillard se laisse retomber sur ses coussins et lâche :

– Selka ne le supporte pas. Elle a perdu le goût de vivre.

La tenture se referme. Le groupe des valets s'ébranle, emportant le palanquin vers le palais de toile.

5

Une belle rencontre

Dès que le vieux dragonnier est installé, les valets retournent au bateau, qui demeure ancré dans la baie. Seul Hadal reste, pour prendre soin de son maître.

Un peu plus tard, il vient trouver Antos et lui dit :

– Messire Damian souhaite avoir Selka auprès de lui. Veuillez la mener jusqu'au pavillon.

– Pourquoi ne pas l'y conduire vous-même ? demande l'éleveur de dragons, étonné.

— C'est que…, explique le premier valet, je supervise les tâches domestiques : cuisine, ménage, entretien des vêtements. Mais… je ne suis pas valet-dragonnier ! La bête ne me connaît pas et…

Voyant sa mine embarrassée, Cham se retient de pouffer : cet homme a la trouille, voilà la vérité ! Il a peur de la dragonne !

Reprenant son sérieux, il propose d'un ton de professionnel :

— Je peux m'en charger, si tu veux, papa.

— Bien sûr, Cham ! Merci !

Le père et le fils échangent un regard complice. Le garçon quitte la cuisine et rejoint la grange d'un pas ferme.

Une minute plus tard, il en sort, tirant la dragonne par la bride. Il progresse lentement, sans cesser de parler à l'oreille de la bête. Selka marche, le cou ballant, les ailes repliées. Sa queue, qui traîne à terre, creuse un sillon dans les graviers de la cour.

Hadal les suit à une distance prudente, l'air perplexe. Quel âge a ce gamin ? Onze ans, tout au plus ! Et il s'y prend mieux que n'importe quel apprenti dragonnier de quatorze ou quinze ans!

À l'entrée du pavillon, les pans de toile sont largement écartés. Arrivée là, la dragonne redresse la tête. Ses naseaux palpitent, elle hume l'air, pousse un cri bref. Une voix lui répond, de l'intérieur :

– Selka, c'est toi? Viens, ma belle! Viens près de moi!

La dragonne frémit de toutes ses écailles. Instinctivement, Cham lui ôte la bride et recule. À pas incertains, Selka pénètre dans la tente.

Le garçon ne sait plus trop quoi faire, à présent. Il a rempli sa tâche, il devrait se retirer. Mais la curiosité le maintient sur place, et aussi une étrange émotion : là, à quelques mètres de lui, il y a un dragonnier avec son dragon! Il entend le bruit assourdi de lourdes pattes, un murmure de paroles, une sorte de ronronnement rauque.

Soudain, la voix du vieil homme s'élève de nouveau :

– Grand Éleveur ? Entrez, je vous prie !

Cham balbutie :

– Ce n'est pas le… euh… C'est son fils.

Après un court silence, la voix reprend :

– Eh bien, entre, petit !

Et Cham entre.

Les flammes des bougies qui brûlent dans les candélabres se reflètent dans les miroirs, sur les soieries des tentures. Au centre du pavillon, le dragonnier est allongé sur la litière, dont les rideaux ont été relevés. La dragonne est assise sur le tapis, les pattes repliées, et sa tête écailleuse repose dans la main de son maître.

Intimidé, Cham s'incline :

– Messire…

– Approche, mon garçon, lui intime le vieillard. Ainsi, c'est toi qui as conduit Selka jusqu'à moi ! Quel âge as-tu ?

– Onze ans, Messire.

En vérité, il n'aura ses onze ans que dans sept mois, mais il préfère se vieillir un peu, ça lui paraît plus respectable.

– Onze ans !

Une lueur amusée dans le regard, messire Damian ajoute :

– Et tu veux devenir dragonnier, n'est-ce pas ?

Cham en reste bouche bée.

Enfin, il souffle :

– Oui, Messire.

Le vieil homme conclut avec un sourire :

– Eh bien, voilà une belle rencontre : le plus jeune et le plus vieux des dragonniers !

Le cristal-qui-voit

Cham a l'impression de s'être introduit dans un autre univers. Près de ce personnage extraordinaire, à deux pas d'un imposant dragon, il se sent différent. Et ce qu'il vient d'entendre augmente encore son trouble. Il bredouille :

— Oh, je… je ne peux pas déjà être un…

— Certes ! l'interrompt messire Damian. De longues années d'apprentissage te seront nécessaires. Pourtant, crois-moi, je sais reconnaître un futur dragonnier ! La plupart des jeunes gens qui ont achevé leur formation et sont admis dans notre caste ne sont pas *réellement* des dragonniers. Ils aiment les dragons, ils ont appris à chevaucher et diriger leur bête, ils seront de bons combattants. Cependant, il leur manquera toujours ce lien mystérieux qui relie dragons et dragonniers, cette espèce de langage muet...

— Comme si on... comprenait des mots dans sa tête ?

Messire Damian plonge son regard dans celui du garçon. L'exaltation qu'il y lit le fait sourire :

— Exactement ! Cela te serait-il arrivé ?

Cham opine du menton :

— Hier, je parlais à Selka ; je l'encourageais à manger, je lui assurais que les choses allaient s'arranger, et... j'ai cru que... qu'elle me répondait !

— Et que t'a-t-elle répondu, si ce n'est pas indiscret ?

— Eh bien, elle a dit... Enfin, il m'a semblé...

Cham hésite, rougissant. Puis il lâche :

— Elle a dit : «Qu'en sais-tu, petit dragonnier ?»

Un rire secoue le vieil homme, qui s'étrangle et se met à tousser. Reprenant difficilement sa respiration, il déclare :

— Tu vois ! Selka l'a su tout de suite, elle aussi ! Et Selka ne se trompe jamais !

Levant une main lasse, il désigne un meuble en bois sculpté :

— Va ouvrir le tiroir du haut. Tu y trouveras un coffret. Apporte-le-moi !

Cham obéit.

Le coffret est lourd, sans ornement, en métal sombre ; probablement du plomb. Cham le pose sur le lit, et messire Damian prononce :

— *Effractet !*

Le couvercle s'ouvre, laissant apparaître une simple boule de verre sur une garniture de velours. Le vieux dragonnier la prend et l'élève entre ses mains.

— Approche, petit ! ordonne-t-il. Approche et regarde !

La dragonne, lovée près du lit, s'écarte un

peu pour faire de la place au garçon. Les yeux de la bête sont fixés sur la sphère, et des flammes d'or dansent dans ses prunelles.

Cham approche, intrigué.

– Regarde ! répète messire Damian.

Cham se penche et…

Et il est aspiré par un grand souffle de vent. Le voilà à la cime d'une montagne. En contrebas s'étend un vaste paysage de collines recouvertes de forêts. Au fond d'un vallon verdoyant serpente un ruisseau. Sur l'une des rives chevauche une vingtaine de cavaliers en armures d'argent. Soudain, d'autres cavaliers cuirassés de noir surgissent entre les arbres. Des étendards écarlates flottent au bout de leurs lances. Dans une immense clameur, ils se jettent sur les cavaliers d'argent. Les eaux du ruisseau se teintent de sang. L'armée noire, bien plus nombreuse, a le dessus. Les cavaliers d'argent tombent les uns après les autres, en dépit de leur vaillance. C'est alors que, du bout de la vallée, monte une ombre gigantesque, qui fond sur le champ de bataille. C'est un dragon aux ailes immenses ; sur son dos, un dragonnier brandit une épée étincelante. À cette vue, les cavaliers d'argent reprennent courage ; ils se regroupent, les blessés se relèvent et reprennent le combat. Les cavaliers noirs, au contraire, reculent, saisis d'effroi. Le dragon décrit un large cercle et pique sur eux. Un flot de feu jaillit de sa gueule, tandis que s'élèvent des hurlements sauvages, cris d'agonie et de victoire mêlés.

La vision s'est éteinte. Entre les mains du vieil homme, il n'y a plus qu'une banale boule de verre, dans laquelle se reflète la lumière des chandelles.

– Qu'est-ce que j'ai… vu ? bafouille Cham, abasourdi.

– Le premier combat d'un jeune dragonnier.

– Vous ?

– Peut-être moi, peut-être un autre…, répond messire Damian d'un air énigmatique.

Le cœur du garçon palpite soudain : s'agirait-il de… lui ? La boule lui a-t-elle montré le passé ou l'avenir ?

Le vieux dragonnier repose l'objet dans son écrin. Il referme le couvercle et tend le coffret à Cham :

– Petit, je te lègue le cristal-qui-voit. Sache qu'il n'offre pas ses visions à n'importe qui, ni à n'importe quel moment !

Cependant, je suis sûr que tu sauras en faire bon usage.

— Mais… balbutie Cham, et vous ? Ne voulez-vous pas… ?

Messire Damian s'enfonce dans ses oreillers :

— Je n'en ai plus besoin. Laisse-moi, à présent, je suis fatigué. Et, si je suis encore en vie demain matin, reviens avec ta sœur. C'est ta sœur, n'est-ce pas, qui était avec toi sur le ponton quand je suis arrivé ? Comment s'appelle-t-elle ?

— Nyne.

— Reviens avec Nyne ; j'ai quelque chose à lui remettre, à elle aussi.

— Oui, Messire.

Cham s'incline et se retire, le coffret serré sur son cœur.

Une révélation

Cham s'est dépêché d'aller cacher le cristal-qui-voit dans sa chambre. Le dragonnier ne lui a pas demandé de garder le secret. Néanmoins, le garçon a la certitude que cette affaire ne concerne que lui. Il ne parlera de ce cadeau ni à son père ni à sa sœur. Du moins, pas tout de suite…

L'air de rien, il se munit d'un panier et rejoint Nyne dans le poulailler. Tandis qu'elle lance du grain aux poules, il ramasse les œufs dans les pondoirs. Nyne lui jette des regards interrogateurs, qu'il fait mine d'ignorer.

N'y tenant plus, elle questionne son frère :

— Alors ? Qu'est-ce que tu as fait ? Qu'a dit messire Damian ? Raconte, Cham !

Il hausse les épaules. Il n'a pas envie de raconter. Cette entrevue, elle aussi, n'appartient qu'à lui. Cependant, il transmet l'invitation du dragonnier.

La petite fille ouvre des yeux étonnés :

— Il veut me remettre quelque chose ? À moi ?

— Oui, s'il n'est pas mort demain. C'est ce qu'il a dit.

— Oh ! Il va si mal que ça ?

Le garçon soupire :

— Je crois surtout qu'il est incroyablement vieux. Si vieux qu'il ne lui reste plus qu'un filet de vie.

— Et Selka ? Il faudrait qu'elle mange un peu ! Ce matin, elle n'a rien avalé.

— Tu as raison ! s'exclame Cham. Et ce n'est pas Hadal, le valet-qui-n'est-pas-valet-dragonnier, qui va s'en occuper ! Seulement, Selka est dans le pavillon. On ne peut pas y retourner sans y être invités.

– Demandons à Hadal de prévenir son maître !

Tandis que Nyne prépare une nouvelle bouillie pour la dragonne, Cham se met en quête du valet. Il le trouve à l'extérieur de la tente, en train d'astiquer de hautes bottes de cuir fauve.

– Ce sont les bottes de messire Damian, explique-t-il. Il désire porter sa grande tenue de dragonnier quand…

Sa voix se brise, et Cham hoche la tête, ému. Il vient de sentir à quel point Hadal est

attaché à son maître. Cet homme a de la peine ; et le garçon l'a mal jugé. Après tout, ce n'est pas sa faute s'il a peur des dragons. À chacun son métier !

Hadal accepte de porter le message. Il entre dans le pavillon.

Il en ressort presque aussitôt :

– C'est entendu. Venez, ta sœur et toi, dès que vous serez prêts.

Comme à contrecœur, il ajoute :

– Messire Damian a dit : « Autant que je voie la petite ce soir. Demain, je ne serai peut-être plus là… »

Cham acquiesce sans un mot, la gorge nouée. Lui aussi, il a de la peine. C'est étrange ! Il vient juste de rencontrer ce vieil homme et il a l'impression de le connaître depuis toujours. L'idée qu'il va mourir le navre. Et Selka ? Que va-t-elle devenir, sans son dragonnier ? Va-t-elle mourir, elle aussi ?

L'arrivée de sa sœur le tire de ces tristes pensées. Elle apporte une terrine emplie d'un mélange tiède et odorant.

– J'ai ajouté de la cannelle, explique-t-elle. J'espère que ça lui plaira.

Elle a pris un ton si sérieux que Cham ne peut s'empêcher de rire. Puis il désigne l'abri de toile :

– Viens ! Le dragonnier nous attend.

– Oui, mais prends ça ! dit la fillette en tendant le récipient à son frère. Moi, je ne m'approche pas de la dragonne !

Quand ils se présentent sur le seuil de la tente, messire Damian les invite d'une voix faible :

– Entrez, les enfants !

Cham s'avance et dépose la terrine devant Selka :

– Tiens, mange ! Ça te fera du bien.

La dragonne tend le cou, renifle la mixture. Puis elle laisse retomber sa tête contre le flanc de son maître.

Le vieil homme soupire :

– C'est dur pour elle. Songez un peu : de mémoire de dragon, on n'a jamais vu mourir un dragonnier !

— Que voulez-vous dire ? fait Cham, dérouté.

— Je vais vous l'expliquer, si…

Il se tourne vers Nyne :

— Si cette demoiselle veut bien venir plus près. Quand on parle aux élusims, on ne devrait pas craindre les dragons !

— Que… ? Co… Comment le savez-vous… ? bégaie la petite fille.

Son frère est aussi étonné qu'elle.

— Un dragon comprend bien des choses, qu'il confie parfois à son dragonnier ! répond messire Damian avec un sourire.

Nyne s'est approchée timidement. Prenant la petite main de la fillette dans sa longue main ridée, le vieil homme déclare :

— Comme vous lui ressemblez, tous les deux ! La belle Dhydra, votre mère, parlait, elle aussi, avec les élusims et avec les dragons. Elle vous a transmis ce don.

Le premier des dragonniers

— Vous avez connu notre mère ? s'écrient les enfants d'une seule voix.

Le vieillard hoche la tête.

— Sachez, reprend-il, que je fus le premier des dragonniers. C'était au temps du roi Cherba, le père de Bertram, l'actuel souverain. J'avais dix-neuf ans. Débarqué par hasard sur cette île, j'y ai découvert un dragonneau tout juste éclos, une femelle. Je l'ai appelée Selka. Très vite, nous avons communiqué en pensée. Dès qu'elle a été assez forte pour être chevauchée, j'ai offert mes services à mon roi. Les Addraks, ces barbares du Nord, avaient franchi la frontière du royaume. Ce sont des combattants redoutables, soutenus par de puissants sorciers. Nous avions perdu plusieurs batailles. Grâce à Selka, nous les avons repoussés. Peu à peu, de nouveaux dragonniers m'ont rejoint ; la caste assure désormais la paix et la sécurité du pays.

– Mais… notre mère ? demande timidement Nyne.

– Lorsque je l'ai connue, elle avait ton âge, petite. C'était une orpheline, qu'une brave servante du château avait adoptée quand elle avait à peine un an. Dhydra était fascinée par les dragons. Un jour, j'ai découvert qu'elle communiquait avec eux, elle aussi. Je l'ai donc fait embaucher à la dragonnerie, où elle rendait de nombreux services. C'est là que, quelques années plus tard, elle a rencontré un jeune et beau fermier, qui vendait ses bêtes pour nourrir les dragons du roi. Ils se sont mariés, et…

– Et elle a eu l'idée de s'installer sur

l'île, intervient Cham, pour que papa devienne Grand Éleveur. Il nous l'a raconté. Au temps où les bébés dragons naissaient tout seuls, beaucoup mouraient.

Le dragonnier opine. Il semble exténué. Son visage ridé est plus blême que jamais.

Pourtant, rassemblant ses forces, il continue :

— Une année, le roi m'a envoyé sur l'île, à l'époque où les dragonnes pondent. J'emportais des cages, avec ordre de récupérer des dragonneaux. Vous le savez, l'événement ne se produit que tous les neuf ans. Or, depuis dix-huit ans, le roi n'avait pu avoir de nouveaux dragonniers, par manque de montures. Cette fois encore, je n'ai trouvé que deux petits, morts. L'un avait chuté de la falaise ; l'autre, trop faible, n'avait pas su se nourrir. Dhydra m'avait accompagné. Elle avait dix ans, alors. Ce spectacle l'a tant attristée qu'elle s'est juré de trouver le moyen de sauver les nouveau-nés.

— Et… les élusims ? veut savoir Nyne.

– Au retour, notre bateau a été pris dans une violente tempête. J'ai bien cru que nous allions couler. Quand un miracle s'est produit !

– Un élusim vous a sauvés ! devine la petite fille.

– Exactement ! Un gigantesque animal marin a surgi dans un creux de houle. Il a soutenu le flanc du navire qui chavirait. Grâce à lui, nous avons pu atteindre la côte. C'est Dhydra qui, plus tard, m'a appris le nom de la créature : un élusim. Elle avait *parlé* avec lui. Votre mère était une femme étonnante.

– Oui, intervient Cham, c'est ce que papa dit aussi…

Messire Damian continue :

– Je me suis toujours demandé d'où Dhydra tenait ces pouvoirs. Mais, lorsque je l'interrogeais, elle souriait d'un air énigmatique et refusait de répondre. Voilà, mes enfants. Je suis heureux d'avoir pu vous conter tout cela. Je suis le premier et le plus vieux des dragonniers. Et je serai le premier d'entre eux à mourir. Aucun dragon n'a encore vu mourir son dragonnier. C'est pourquoi Selka est si bouleversée. Dans sa détresse, elle a volé d'instinct vers l'île où elle est née et où je l'ai trouvée, tout bébé. Si on en croit les légendes, elle a encore plusieurs centaines d'années à vivre. Mais, on sait si peu de choses sur les dragons… ! Votre mère aurait voulu en apprendre davantage. Elle a, hélas, disparu avant d'en avoir le temps.

Le vieil homme reprend difficilement sa respiration. Enfin, il souffle :

— Veillez sur Selka quand je ne serai plus là ! Avec vous, qui la comprenez mieux que n'importe qui, peut-être retrouvera-t-elle le goût de vivre…

— Nous le ferons, promettent les enfants, les larmes aux yeux.

Le plus vieux des dragonniers tire alors des plis de son vêtement un sachet de velours.

Il en sort un objet rond et plat, pas plus large que sa paume, qu'il tend à Nyne :

— Ta mère m'a offert ce miroir, avant son départ pour l'île, où elle venait s'installer avec votre père. Elle m'a dit : « Gardez-le en souvenir de moi. Lorsque vous en aurez besoin, il réfléchira pour vous. » Je l'ai conservé précieusement. C'est pour toi, Nyne, qu'il réfléchira désormais.

La fillette balbutie :

– C'est un miroir… intelligent ?

Le vieux dragonnier sourit, amusé :

– On peut dire ça. Cela signifie surtout qu'il renvoie parfois des images… différentes !

– Oh ! Merci !

Messire Damian soupire alors :

– Maintenant, laissez-moi, mes petits. À demain. Peut-être…

Le grand départ

Au beau milieu de la nuit, Nyne est réveillée en sursaut par un rugissement effrayant. Ça vient du dehors !

La petite fille bondit hors du lit et se précipite dans la chambre de son frère.

– Cham ! Tu as entendu ?

Le garçon est déjà debout, devant sa fenêtre ouverte.

– Regarde ! lance-t-il.

Nyne le rejoint et lâche une exclamation.

La pleine lune, qui brille dans une trouée

de nuages, éclaire les hautes collines de l'île. Une silhouette énorme se découpe contre le ciel nocturne. Ouvrant ses ailes immenses, elle passe devant le disque lunaire. Un instant, tout s'assombrit. La dragonne pousse un nouveau cri et pique vers le sol. Là, elle reste accroupie ; seule sa tête remue par à-coups.

— Qu'est-ce qu'elle fait ? demande Nyne, perplexe.

— Elle chasse ! Elle a capturé un gibier et elle le dévore.

— Alors, elle va vivre !

— Oui ! Du lièvre ou du ragondin, ça lui convient sûrement mieux qu'une bouillie au miel !

— Elle refusait la viande ! se récrie la fillette, vexée.

— C'est vrai, ne te fâche pas ! Mais, sans son dragonnier, peut-être va-t-elle retrouver ses instincts sauvages ?

— Oh ! lâche Nyne. Messire Damian ! Tu crois qu'il est…

Cham dit lentement :

– Nous le saurons demain matin. En attendant, retournons nous coucher !

Dès l'aube, les enfants dévalent l'escalier. Leur père est déjà dans la cuisine :

– Ah, c'est bien que vous soyez levés ! Hadal sort d'ici à l'instant : messire Damian nous fait demander. Venez !

Les enfants échangent un regard inquiet : est-ce la dernière fois qu'ils verront le vieux dragonnier ? Désire-t-il leur dire adieu ?

Tous trois rejoignent en hâte le pavillon. Ils découvrent avec surprise la dragonne fièrement campée devant l'entrée, sellée et harnachée. Ses écailles vertes luisent dans les premières lueurs du jour.

– Qu'elle est belle ! s'exclame Cham.

Nyne reste silencieuse ; elle espère seulement de tout son cœur que messire Damian a retrouvé ses forces, lui aussi, comme sa monture !

Le vieux dragonnier apparaît alors, et la petite fille comprend que, hélas, il n'en est rien. Certes, il est debout. Mais il est clair

que, sans le soutien de Hadal, il s'effondre-
rait. Tout son corps maigre tremble, son
visage a la pâleur de la craie.

Cham, lui, est ébloui : un dragonnier en
tenue d'apparat ! Messire Damian a revêtu
un pourpoint de velours à col montant et une
cape mordorée, dont un pan est rejeté par-
dessus son épaule. Une cuirasse d'argent lui
protège la poitrine. Il a chaussé les hautes
bottes que Hadal astiquait la veille. Le four-
reau de sa longue épée est accroché à une
ceinture incrustée de pierres précieuses. Ses
cheveux soulevés par le vent forment un
halo de blancheur autour de sa tête. Malgré
sa fragilité, son allure est celle d'un grand
seigneur.

D'une voix entrecoupée, il dit :

— Je vous remercie, tous les trois, de
m'avoir accueilli sur cette île, où ma vie de
dragonnier a commencé. C'est là aussi
qu'elle touche à sa fin. Et merci d'avoir
soigné Selka !

Son regard passe sur Cham, s'attarde sur
Nyne :

— Vous, mes petits, n'oubliez pas : le verre, parfois, capture les images. Cultivez les dons reçus de Dhydra, votre mère ! Adieu ! J'ai été heureux de vous connaître.

Au nom de son épouse, Antos a tressailli. Il s'apprête à questionner le vieil homme. Il n'en a pas le temps : déjà, Hadal mène son maître jusqu'à sa monture et l'aide à se mettre en selle.

Dans un ultime effort, messire Damian se redresse et lance :

— Selka a raison : je n'ai pas le droit de l'abandonner. Qu'elle m'emporte là où les dragonniers vivent à jamais !

À ces mots, la bête se ramasse sur elle-même. D'une puissante détente, elle s'élève vers le ciel. En trois battements d'ailes, elle a franchi la falaise. Le soleil du matin allume sur ses écailles des éclats de lumière. Elle survole la mer à une vitesse fantastique, fonçant droit vers l'horizon. Bientôt, Selka et son dragonnier ne sont plus qu'un trait d'émeraude, qui s'enfonce dans le ventre blanc d'un nuage.

— Où vont-ils ? murmure Nyne.

— Au royaume des dragons, peut-être, dit Cham.

Antos enveloppe ses enfants de ses bras :

— Oui, c'est là-bas qu'ils sont partis, j'en suis sûr : au royaume des dragons…

10

Un reflet dans le miroir

D'un coup de trompe, Hadal lance un appel au grand navire, qui se balance dans la baie depuis la veille. Des barques sont mises à l'eau. Les voilà bientôt amarrées au ponton. La troupe des valets en descend et se dirige vers le pavillon. En un rien de temps, celui-ci est vidé de ses meubles, de ses tentures, de ses tapis. Puis la vaste tente est démontée, la toile roulée. Les valets transportent le matériel jusqu'aux embarcations, qui retournent au navire. Enfin, quatre hommes descendent le palanquin. Cette fois, il n'y a plus personne derrière les rideaux tirés.

Hadal salue Antos et les enfants.

– Merci à vous trois, dit-il. Je retourne au château. Je vais rapporter au roi les derniers événements. Notre souverain avait prévu de somptueuses funérailles, pour le plus ancien des dragonniers. Nous n'aurons pas besoin de l'enterrer. C'est sans doute mieux ainsi.

– Qu'allez-vous faire, à présent ? demande l'éleveur de dragons.

– Je deviendrai peut-être le premier valet d'un nouveau dragonnier. Quoique… Je regretterai beaucoup mon ancien maître. J'étais à son service depuis plus de vingt ans.

– Quel âge avait-il ?

– Cent dix-sept ans !

Hadal rit tristement :

– J'étais comme Selka : je commençais à le croire immortel…

– Mais il *est* immortel ! affirme Cham, puisque nous garderons tous son souvenir !

Hadal approuve d'un hochement de tête.

Il court au ponton et saute à bord de la dernière chaloupe.

Cham la regarde s'éloigner, le cœur gros. Lui, c'est sûr, jamais il n'oubliera sa rencontre avec le plus vieux des dragonniers !

Les trois habitants de l'île se retrouvent seuls, de nouveau. Comme le pré, derrière la maison, leur paraît vide ! Et la grange qui a abrité la dragonne !

Nyne demande à son père :

— Tu crois que nous reverrons Selka, un jour ?

— Je l'ignore, fillette !

— Moi, dit Cham, je suis sûr qu'elle se souviendra de ce lieu où elle est née et où…

Il s'interrompt, saisi par une idée soudaine :

— Papa, Selka n'était pas vieille, pour un dragon. Et si, dans neuf ans, elle revenait pondre sur l'île ?

— Qui sait ? murmure le Grand Éleveur. Ce n'est pas impossible…

Le cœur du garçon s'accélère, car il vient de penser : « Dans neuf ans, j'aurai l'âge d'être dragonnier. Et mon dragon sera peut-être… un petit de Selka ! »

À la fin de la journée, Cham et Nyne se dirigent vers le bord de la falaise. Tous deux

ont le même désir de contempler la mer.
Tous deux fouillent du regard la ligne d'horizon, qui s'obscurcit, là où Selka et son
dragonnier ont disparu.

— C'est bien qu'ils soient partis
ensemble, dit Cham.

— Et j'espère que messire Damian ne sera
pas mort avant d'avoir vu le royaume des
dragons! ajoute Nyne.

Les enfants restent un moment silen-
cieux. Puis la petite fille questionne son
frère :

— Qu'est-ce qu'il t'a donné, à toi?

— Hein…?

— Oui! Moi, il m'a fait cadeau du miroir
de maman. Je suis certaine qu'il t'a aussi
laissé quelque chose!

Cham ne voulait parler à personne de la
boule de verre. Seulement, il ne peut pas
mentir; il sait que messire Damian ne l'ap-
prouverait pas. Alors, il raconte à sa sœur la
scène de bataille à laquelle il a assisté grâce
au cristal-qui-voit.

— Ooooooh! s'écrie-t-elle. Tu crois que

le miroir fera aussi cela pour moi ? Qu'il me montrera des images ?

— Sans doute. Mais messire Damian m'a prévenu que la boule de verre n'offrait pas ses visions à n'importe quel moment. C'est sûrement pareil pour ton miroir.

— Ah, oui ! Sûrement…

Le vent se lève. Il commence à faire froid.

— Rentrons ! décide Cham.

Les enfants sont montés se coucher. Assise dans son lit, Nyne prend le miroir, qu'elle a posé sur sa table de nuit. Elle le tient un long moment devant elle. Elle n'y voit que son propre reflet, éclairé par la flamme dansante de la chandelle.

— S'il te plaît ! supplie-t-elle. S'il te plaît, miroir, réfléchis pour moi !

Le miroir se contente de réfléchir le visage de Nyne. Déçue, elle s'apprête à le reposer quand, peu à peu, une buée argentée se répand sur la surface de verre. La petite fille a soudain l'impression d'être transportée au milieu de la mer. Il fait nuit, les étoiles se reflètent dans les eaux calmes. De temps à autre, des créatures au long cou jaillissent et replongent. Des élusims ! De petites vagues viennent lécher la base d'une haute masse rocheuse ; sa forme évoque celle d'un château flanqué de grosses tours. Nyne devine un portail qui s'ouvre lentement, comme pour l'inviter à entrer…

Elle se penche pour mieux regarder. Mais, déjà, l'apparition s'est évanouie. Mi-heureuse

mi-intriguée, Nyne souffle la chandelle. Elle se glisse entre les draps, ferme les yeux.

À l'instant de s'endormir, elle marmonne comme dans un rêve :

– Vag ! Tu connais cet endroit, n'est-ce pas ? Un jour… Un jour, tu m'y conduiras !

Retrouve vite Cham et Nyne
dans la suite des aventures de

Les dragons de Nalsara

Tome 3
Complot au palais

Les premiers jours d'automne sont tièdes et ensoleillés. Nyne et Cham profitent d'une belle matinée pour parcourir les collines de l'île : c'est l'époque des mousserons, ces petits champignons si savoureux dans les omelettes. Les enfants ont déjà presque rempli leur panier quand la fillette s'exclame :

– Là ! Il y en a des tas !

Elle s'accroupit et se remet à la cueillette. Mais l'œil de Cham est attiré par quelque chose, au loin. Il scrute l'horizon, s'abritant les yeux du revers de la main. Soudain, il interpelle sa sœur :

– Nyne, regarde ! Un alcyon voyageur !

Le grand oiseau se dirige vers la tour des Courriers en poussant un cri rauque.

La fillette se relève d'un bond :

– Tu crois qu'il apporte une lettre pour papa ?

– Sûrement. Une lettre du palais…

Le cœur de Cham s'est mis à battre plus fort : au palais, il y a la dragonnerie royale, où vivent dragons et dragonniers. Qui sait ce que cette missive peut annoncer ?

– Viens ! lance-t-il.

Et il dévale le sentier qui descend vers la ferme.

Antos est assis devant la table de la cuisine, une mince feuille de papier déroulée devant lui.

Cham et Nyne surgissent, hors d'haleine.

– Papa ! souffle le garçon. Il y a un message du palais ? On a vu un alcyon qui…

Antos hoche la tête :

– Ma foi, la lettre que je viens de recevoir nous concerne tous les trois. Écoutez !

En récompense des services rendus,
le Grand Éleveur et ses enfants
sont priés d'assister
au jubilé du roi Bertram.
Un navire viendra les chercher
dans trois jours, à l'heure de midi.
Messire Onys,
Maître Dragonnier.

Les deux enfants se mettent à parler en même temps.

— Ça veut dire qu'on est... invités au palais ? balbutie Cham.

— C'est quoi, un jubilé ? demande Nyne.

— Un jubilé, explique leur père, c'est le cinquantième anniversaire d'un événement : voilà cinquante ans que notre souverain est monté sur le trône et qu'il règne sur le pays d'Ombrune. Il y aura donc fête à Nalsara. Et, en effet, Cham, nous sommes invités au palais.

— Invités au... Oh, ce sera magnifique ! On verra les dragons et...

Antos interrompt son fils d'un geste de la main :

— Oui, ce *serait* magnifique. Malheureusement, c'est impossible.

— Mais… pourquoi ? gémit le garçon.

— Parce que j'ai des bêtes à nourrir, Cham, et des vaches à traire ; sans compter que l'une d'elles est sur le point d'avoir son veau, tu le sais. Nous serions absents au moins trois jours. Non. Je vais répondre à ce messire Onys que nous sommes très honorés, et désolés de devoir refuser son invitation.

Nyne propose avec naïveté :

— Tu pourrais y aller, toi, papa ! Trois jours, ce n'est pas si long. On s'occuperait des bêtes, hein, Cham ?

Son frère lui lance un regard noir :

— Tu ne sais même pas traire les vaches ! Et si le veau de Caramel naît, comment tu t'y prendras ?

— C'est gentil à toi, Nyne, dit doucement Antos. Mais Cham a raison. Tant pis !

Se tournant vers son fils, il ajoute :

— D'ici quelques années, tu auras bien d'autres occasions de te rendre au palais, j'en suis sûr. Allons ! Il va être l'heure de déjeuner. Ces champignons sentent bien bon ; tu nous les prépares, Nyne ? Pendant ce temps, Cham mettra le couvert, et je rédigerai ma réponse à messire Onys.

— Je… je vais chercher un truc là-haut, marmonne le garçon avant de disparaître dans l'escalier.

En vérité, il veut cacher ses larmes. Il est tellement déçu !